Frühlings

SPRING GARDEN
JARDIN DE PRINTEMPS

ANNETTE JUNGMANN

44 Stickideen für den Frühling.

44 EMBROIDERY IDEAS FOR SPRING.
44 IDÉES À BRODER POUR LE PRINTEMPS.

Blütenmotive

FLOWER DESIGN
MOTIFS FLORAUX

DESIGN 79633
SEITE 92 / PAGE 92

Tischdecke / Tablecloth / Nappe
Mantel / Tovaglia / Dekservet
Asztalterítő

90 × 90 CM / 35 × 35 IN

DESIGN 79661
SEITE 102 / PAGE 102

Anhänger aus Holz / Wooden pendant
Pendentif en bois / Colgante decorativo de madera / Decarozaione in
legno da appendere / Houten hanger
Felakasztható dísz fából

6 × 8 CM / 2 × 3 IN

DESIGN 79637
SEITE 90 / PAGE 90

Tischband / Table band / Ruban de table / Cinta de mesa / Nastro di tavolo / Tafelband / Hosszú napron

20 × 155 CM / 8 × 61 IN

DESIGN 79669
SEITE 56 / PAGE 56

Kissen / Cushion / Coussin / Almohada / Cuscino / Kussen / Párna

25 × 25 CM / 10 × 10 IN

DESIGN 79634
SEITE 88 / PAGE 88

Tischdecke / Tablecloth / Nappe
Mantel / Tovaglia / Dekservet
Asztalterítő

90 × 90 CM / 35 × 35 IN

Blütenpracht

FLOWER SPLENDOUR
FLEUR RIME AVEC SPLENDEUR

DESIGN 79634
SEITE 86 / PAGE 86

Tischband / Table band / Ruban de
table / Cinta de mesa / Nastro di tavolo Tafelband / Hosszú napron

29 × 155 CM / 11 × 61 IN

Zarte Ostermotive

DELICATE EASTER DESIGNS
TENDRE MOTIFS DE PÂQUES

DESIGN 79636
SEITE 64 / PAGE 64

Tischdecke / Tablecloth / Nappe
Mantel / Tovaglia / Dekservet
Asztalterítő

92 × 92 CM / 36 × 36 IN

DESIGN 79636
SEITE 64 / PAGE 64

Tischband / Table band / Ruban de
table / Cinta de mesa / Nastro di tavolo / Tafelband / Hosszú napron

29 × 155 CM / 11 × 61 IN

Schmetterlinge und Blumen

BUTTERFLIES AND FLOWERS
PAPILLONS ET FLEURS

DESIGN 79638
SEITE 78 / PAGE 78

Tischband / Table band / Ruban de
table / Cinta de mesa / Nastro di tavolo / Tafelband / Hosszú napron

29 × 155 CM / 11 × 61 IN

DESIGN 79638
SEITE 80 / PAGE 80

Tischdecke / Tablecloth / Nappe
Mantel / Tovaglia / Dekservet
Asztalterítő

90 × 90 CM / 35 × 35 IN

Frühlingswiese

SPRING MEADOW
LES PRAIRIES AU PRINTEMPS

DESIGN 79639
SEITE 72 / PAGE 72

Tischdecke / Tablecloth / Nappe
Mantel / Tovaglia / Dekservet
Asztalterítő

90 × 90 CM / 35 × 35 IN

DESIGN 79641
SEITE 71 / PAGE 71

Tischset / Place mat / Set de table
Set / Set da tavola / Placemat / Szett

50 × 35 CM / 20 × 14 IN

Fröhlicher Frühling

CHEERFUL SPRING
PRINTEMPS JOYEUX

DESIGN 79640
SEITE 76 / PAGE 76

Tischdecke / Tablecloth / Nappe
Mantel / Tovaglia / Dekservet
Asztalterítő

90 × 90 CM / 35 × 35 IN

20

Pastell

PASTEL

DESIGN 79640
SEITE 74 / PAGE 74

Tischband / Table band / Ruban de
table / Cinta de mesa / Nastro di tavolo / Tafelband / Hosszú napron

29 × 155 CM / 11 × 61 IN

Stich für Stich ein schönes Motiv.

LOVELY DESIGN STITCH FOR STITCH
POINT À POINT, UN JOLI MOTIF APPARAIT

DESIGN 79635
SEITE 68 / PAGE 68

Deckchen / Tablecloth / Napperon
Mantel / Tovaglie / Kleedje / Terítő

40 × 30 CM / 16 × 12 IN

DESIGN 79652
SEITE 60 / PAGE 60

Deckchen / Tablecloth / Napperon
Mantel / Tovaglie / Kleedje / Terítő

Ø 30 CM / Ø 12 IN

Marienkäfer, Bienen, Blüten und Co.

LADY BIRDS, BEES, FLOWERS AND CO.
COCCINELLE, ABEILLES, FLEURS ET CO.

DESIGN 79664
SEITE 62 / PAGE 62

Kissen / Cushion / Coussin / Almohada / Cuscino / Kussen / Párna

25 × 25 CM / 10 × 10 IN

DESIGN 79644
SEITE 84 / PAGE 84

Schleife / Bow / Nœud / Lazo / Fiocco
Strik / Masni

10 × 153 CM / 4 × 60 IN

Frühlingsgrüße

SPRING GREETINGS
PETITES ATTENTIONS PRINTANIÈRES

DESIGN 79646
SEITE 66 / PAGE 66

Marmeladenglasdeckchen / Small jam
cloths / Dessus de pot de confiture
brodé / Cubretapas para botes de
mermelada / Centrino per marmellate
Jamdekentje / Lekváros kendö

Ø 8 CM / Ø 3 IN

Lovely, lovely, lovely ...

HÜBSCH, HÜBSCHER, AM HÜBSCHESTEN ...
PLUS ADORABLES LES UNS QUE LES AUTRES ...

79649

79648

79645

BILD / PICTURE
TABLEAU / CUADRO
QUADRO / BEELD / KÉP

DESIGN 79648
SEITE 62 / PAGE 62
Ø 10,5 CM / Ø 4 IN

DESIGN 79649
SEITE 99 / PAGE 99
Ø 10,5 CM / Ø 4 IN

DESIGN 79645
SEITE 70 / PAGE 70
Ø 15,5 CM / Ø 6 IN

DESIGN 79650
SEITE 98 / PAGE 98
Ø 10,5 CM / Ø 4 IN

DESIGN 79647
SEITE 63 / PAGE 63
Ø 15,5 CM / Ø 6 IN

DESIGN 79651
SEITE 61 / PAGE 61
Ø 10,5 CM / Ø 4 IN

79650

79651

79647

DESIGN 79653
SEITE 59 / PAGE 59

Deckchen / Tablecloth / Napperon
Mantel / Tovaglie / Kleedje / Terítő

Ø 20 CM / Ø 8 IN

DESIGN 79642
SEITE 82 / PAGE 82

Schleife / Bow / Nœud / Lazo / Fiocco
Strik / Masni

10 × 153 CM / 4 × 60 IN

Willkommen

WELCOME
BIENVENUE

Anhänger mit Mustern

PENDANT WITH PATTERN
PENDENTIFS AVEC DÉCORS

DESIGN 79671
SEITE 99 / PAGE 99

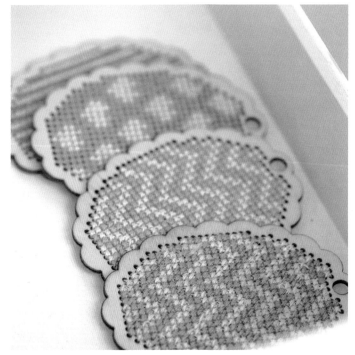

DESIGN 79656 – 79661
SEITE 100 - 102 / PAGE 100 - 102

Anhänger aus Holz / Wooden pendant / Pendentif en bois / Colgante decorativo de madera / Decorozaione in legno da appendere / Houten hanger / Felakaszt-ható dísz fából

6 × 8 CM / 2 × 3 IN

Bänder

RIBBONS
BANDES

Tischband / Table band / Ruban de table / Cinta de mesa / Nastro di tavolo / Tafelband / Hosszú napron

DESIGN 79668
SEITE 96 / PAGE 96

10 × 155 CM / 2 × 61 IN

DESIGN 79667
SEITE 96 / PAGE 96

2 × 155 CM / 0,8 × 61 IN

DESIGN 79666
SEITE 96 / PAGE 96

4 × 155 CM / 2 × 61 IN

Das besondere Geschenk!

THE SPECIAL PRESENT!
UN CADEAU PARTICULIER !

DESIGN 79662
SEITE 67 / PAGE 67

Geschenkband / Gift ribbon / Ruban
cadeau / Cinta para envolver regalos
Nastro regalo / Cadeauband
Ajándékszalag

5 × 105 CM / 2 × 41 IN

Ab in den Garten!

TO THE GARDEN!
RENDEZ-VOUS AU JARDIN !

Taschen zu vielen Gelegenheiten

BAGS FOR MANY OCCASIONS
DES SACS POUR TOUTES LES OCCASIONS

DESIGN 79655
SEITE 104 - 106 / PAGE 104 - 106

Tasche / Bag / Sac / Bolsa / Borsa
Tas / Táska

40 × 28 × 15 CM / 16 × 11 × 6 IN

Shopping bag

EINKAUFSTASCHE
JE VAIS FAIRE LES COURSES

RÜCKSEITE
BACK
ARRIÈRE

DESIGN 79663
SEITE 95 - 96 / PAGE 95 - 96

Tasche / Bag / Sac / Bolsa / Borsa
Tas / Táska

40 × 28 × 15 CM / 16 × 11 × 6 IN

Picknickzeit

PICNIC TIME
L'HEURE DU PIQUE-NIQUE

DESIGN 79654
SEITE 103 / PAGE 103

Kissen / Cushion / Coussin / Almohada / Cuscino / Kussen / Párna

25 × 25 CM / 10 × 10 IN

Picknick

PICNIC
PIQUE-NIQUE

DESIGN 79670
SEITE 58 / PAGE 58

Patchworkdecke / Patchwork quilt
Couverture patchwork / Manta
patchwork / Tovaglia patchwork
Patchwork deken / Patchwork-takaró

141 × 196 CM / 56 × 77 IN

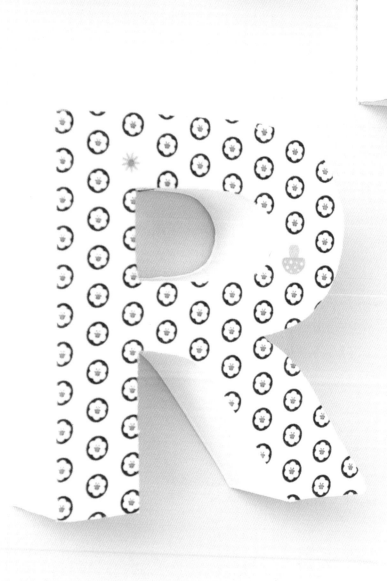

Kreuzstich
Zählmuster

CROSS STITCH CHART
DIAGRAMME POINT DE CROIX

Kleine Stickschule

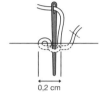

0,2 cm

D 3-fädig sticken: Beachten Sie diesen Hinweis nicht, wird das Stickgarn nicht ausreichen. Die Stickerei sollte in einem Stickrahmen ausgeführt werden.

GB Embroider with 3 strands of thread. If you do not follow this instruction, you will not have enough thread to complete your work. Use a hoop for embroidery.

FR Broder avec 3 brins: si vous ne suivez pas cette recommandation, vous n'aurez pas assez de fil à broder. Il est conseillé de tendre l'ouvrage à broder sur un cadre.

ES Bordar con 3 hilos: Si no se observa esta indicación el hilo de bordar no será suficiente. Les recomendamos bordar con un bastidor.

IT Ricamare con 3 fili. In caso contrario il filo non è sufficiente. Ricamare con un telaio da ricamo.

NL U borduurt met gesplitst garen n.l. 3 draadjes: Borduren in een borduurringis aan te bevelen, zeker bij voorgetekende motiefen.

HU Az osztott hímző 3 ágával hímezzen. Ha nem követi az utasítást, akkor nem lesz elegendő az előírt fonalmennyiség. Használjon hímzőkeretet.

D Den Befestigungsstich fest anziehen und den überstehenden Restfaden abschneiden.

GB Starting and finishing: Pull the stitch tightly to secure and cut off the end ofthread remaining on the right side.

FR Point d'arrêt: Bien serrer le point d'arrêt et couper le fil dépassant.

ES Punto de fijación: Sujetar el punto de fijación sólidamente y cortar el hilo sobrante.

IT Punto di fissaggio: Tirare il punto e tagliareil filo sporgente.

NL Vastzetten van het garen: De steek goed aantrekken en garenrest wegknippen.

HU Kezdés és befejezés: A megerősítő öltést húzza meg erősen, és a színoldalon megmaradó fonalvéget vágja le.

D Sticktwist und Garnverbrauch in ganzen Metern angegeben.

GB Amount of thread required in metres.

FR Fournitures métrage.

ES Hilo de bordar y cantidades indicadas enmadejas metros.

IT Occorrente di filato da ricamo a metri.

NL Benodigd garen in meters.

HU A szükséges mennyiség méterben megadva.

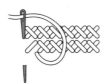

D	Steppstich	**D**	Kreuzstich	**D**	Knötchenstich
GB	Back stitch	**GB**	Cross stitch	**GB**	French knot
FR	Point arrière	**FR**	Point de croix	**FR**	Point de noeud
ES	Pespunte	**ES**	Punto de cruz	**ES**	Punto de nudos
IT	Trapunto	**IT**	Punto croce	**IT**	Punto nodini
NL	Stiksteek	**NL**	Kruissteek	**NL**	Knoopjessteek
HU	Visszaöltés	**HU**	Keresztszemes hímzés	**HU**	Francia csomó

D Perlstich
GB Tent stich
FR Petit point
ES Medio punto
IT Punto perla
NL Parelsteek
HU Gyöngyöltés

D Stoffzuschnitt
GB Fabric piece
FR Coupe de tissu
ES Recorte de tela
IT Taglio stoffa
NL Geknipte stof
HU Anyag szabása

D Konturen/Steppstich
GB Outlines/Back stitch
FR Contours/Point arrière
ES Contornos/Pespunte
IT Contorni/Trapunto
NL Omlijningen/Stiksteek
HU Kontúrok/Visszaöltés

D Stickbeginn
GB Start of embroidery
FR Début de la broderie
ES Comienzo del bordado
IT Inizio del ricamo
NL Borduurbegin
HU Hímzéskezdés

D Motiv-Mitte/Stickbeginn
GB Centre of design/Start of embroidery
FR Centre du motif/Début de la broderie
ES Centro del motivo/Comienzo del bordado
IT Centro del motivo/Inizio del ricamo
NL Midden van het motie/Borduurbegin
HU A minta közep/Hímzéskezdés

DESIGN 79669

Kissen / Cushion / Coussin / Almohada / Cuscino / Kussen / Párna

25 × 25 CM / 10 × 10 IN
NO. 17804.15.96
✂ 27 × 30 CM / 11 × 12 IN
NO. 18064.15.92
✂ 27 × 30 CM / 11 × 12 IN

D

2-fädig über 2 Gewebefäden sticken.
*Konturen 1-fädig sticken.

GB

Stitch over 2 threads, using 2 strands
of embroidery thread. *Use 1 strand
for back stitch.

FR

A broder sur 2 fils de trame, avec 2
brins de mouliné. *Contours avec 1
brin.

ES

Bordar con 2 hilos sobre 2 hilos de
tela. *Contornos con 1 hilo.

IT

Ricamare con 2 fili su 2 fili del tessuto. *Contorni con 1 filo.

NL

Met 2 draadjes splijtgaren over 2 weefseldraden borduren. *Stiksteken met
1 draadje.

HU

A szöveten 2 szál egy keresztöltés,
az osztott hímzö 2 ágával hímezzünk.
*Kontúrok 1 rétegben.

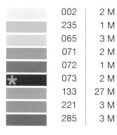

	002	2 M
	235	1 M
	065	3 M
	071	2 M
	072	1 M
*	073	2 M
	133	27 M
	221	3 M
	285	3 M

DESIGN 79670

Patchworkdecke / Patchwork quilt
Couverture patchwork / Manta
patchwork / Tovaglia patchwork
Patchwork deken / Patchwork-takaró

141 × 196 CM / 56 × 77 IN

NO. 17231.15.94
✂ 20 × 20 CM / 8 × 8 IN
NO. 18069.15.92
✂ 143 × 198 CM / 56 × 78 IN
NO. 18069.15.92
✂ 22(15 × 15 CM / 6 × 6 IN)
NO. 18065.15.92
✂ 18(15 × 15 CM / 6 × 6 IN)

NO. 18066.15.92
✂ 8(15 × 15 CM / 6 × 6 IN)
NO. 18068.15.92
✂ 12(15 × 15 CM / 6 × 6 IN)
NO. 18063.15.92
✂ 18(15 × 15 CM / 6 × 6 IN)
NO. 18070.15.92
✂ 16(15 × 15 CM / 6 × 6 IN)
NO. 18067.15.92
✂ 10(15 × 15 CM / 6 × 6 IN)
NO. 18071.15.92
✂ 12(15 × 15 CM / 6 × 6 IN)
NO. 18072.15.92
✂ 15(15 × 15 CM / 6 × 6 IN)
NO. 18064.15.92
✂ 8(15 × 15 CM / 6 × 6 IN)

D
2-fädig sticken.
GB
Stitch using 2 strands of embroidery
thread.
FR
A broder avec 2 brins.
ES
Bordar con 2 hilos.
IT
Ricamare con 2 fili.
NL
Met 2 draadjes splijtgaren borduren.
HU
Az osztott hímző 2 ágával hímezzünk.

	221	16 M
	104	3 M

DESIGN 79653

Deckchen / Tablecloth / Napperon
Mantel / Tovaglie / Kleedje / Terítő

Ø 20 CM / Ø 8 IN

NO. 16176.59.04

D
2-fädig über 2 Gewebefäden sticken.

GB
Stitch over 2 threads, using 2 strands
of embroidery thread.

FR
A broder sur 2 fils de trame, avec 2
brins de mouliné.

ES
Bordar con 2 hilos sobre 2 hilos de
tela.

IT
Ricamare con 2 fili su 2 fili del tessuto.

NL
Met 2 draadjes splijtgaren over 2 weefseldraden borduren.

HU
A szöveten 2 szál egy keresztöltés, az
osztott hímzö 2 ágával hímezzünk.

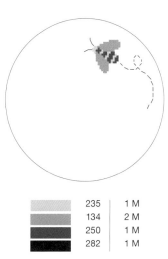

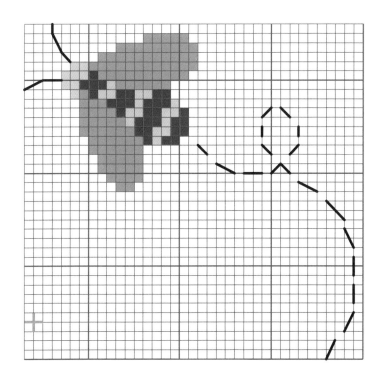

	235	1 M
	134	2 M
	250	1 M
	282	1 M

DESIGN 79652

Deckchen / Tablecloth / Napperon
Mantel / Tovaglie / Kleedje / Terítő

Ø 30 CM / Ø 12 IN

NO. 16176.59.41

D

2-fädig über 2 Gewebefäden sticken.

GB

Stitch over 2 threads, using 2 strands of embroidery thread.

FR

A broder sur 2 fils de trame, avec 2 brins de mouliné.

ES

Bordar con 2 hilos sobre 2 hilos de tela.

IT

Ricamare con 2 fili su 2 fili del tessuto.

NL

Met 2 draadjes splijtgaren over 2 weefseldraden borduren.

HU

A szöveten 2 szál egy keresztöltés, az osztott hímzö 2 ágával hímezzünk.

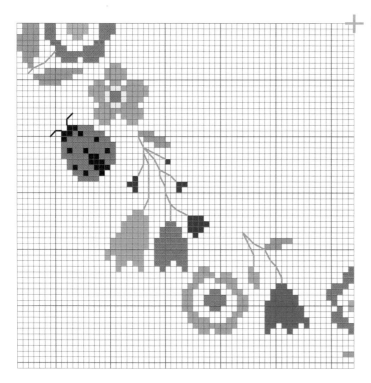

	002	1 M
	071	3 M
	072	4 M
	073	2 M
	134	3 M
	135	3 M
	221	3 M
	287	2 M
	282	2 M

DESIGN 79651
Bild / Picture / Tableau / Cuadro
Quadro / Beeld / Kép

Ø 10,5 CM / Ø 4 IN

NO. 17467.15.97
✂ 20 × 20 CM / 8 × 8 IN
NO. 95232.00.00

D
2-fädig sticken. *Konturen 1-fädig
sticken.

GB
Stitch using 2 strands of embroidery
thread. *Use 1 strand for back stitch.

FR
A broder avec 2 brins. *Contours
avec 1 brin.

ES
Bordar con 2 hilos. *Contornos con
1 hilo.

IT
Ricamare con 2 fili. *Contorni con
1 filo.

NL
Met 2 draadjes splijtgaren borduren.
*Stiksteken met 1 draadje.

HU
Az osztott hímző 2 ágával hímezzünk.
*Kontúrok 1 rétegben.

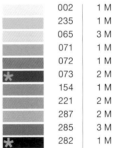

	002	1 M
	235	1 M
	065	3 M
	071	1 M
	072	1 M
✱	073	2 M
	154	1 M
	221	2 M
	287	2 M
	285	3 M
✱	282	1 M

DESIGN 79648

Bild / Picture / Tableau / Cuadro
Quadro / Beeld / Kép

Ø 10,5 CM / Ø 4 IN

NO. 17467.15.97
✂ 20 × 20 CM / 8 × 8 IN
NO. 95232.00.00

	002	1 M
	235	1 M
	071	1 M
	072	1 M
	134	1 M
	135	1 M
	137	1 M
	210	1 M
	250	1 M
	287	1 M

D
2-fädig sticken.

GB
Stitch using 2 strands of embroidery thread.

FR
A broder avec 2 brins.

ES
Bordar con 2 hilos.

IT
Ricamare con 2 fili.

NL
Met 2 draadjes splijtgaren borduren.

HU
Az osztott hímző 2 ágával hímezzünk.

DESIGN 79664

Kissen / Cushion / Coussin / Almohada / Cuscino / Kussen / Párna

25 × 25 CM / 10 × 10 IN
NO. 17804.15.96
✂ 27 × 30 CM / 11 × 12 IN
NO. 18066.15.92
✂ 27 × 30 CM / 11 × 12 IN

D
2-fädig über 2 Gewebefäden sticken.
*Konturen 1-fädig sticken.

GB
Stitch over 2 threads, using 2 strands of embroidery thread. *Use 1 strand for back stitch.

FR
A broder sur 2 fils de trame, avec 2 brins de mouliné. *Contours avec 1 brin.

ES
Bordar con 2 hilos sobre 2 hilos de tela. *Contornos con 1 hilo.

IT
Ricamare con 2 fili su 2 fili del tessuto. *Contorni con 1 filo.

NL
Met 2 draadjes splijtgaren over 2 weefseldraden borduren. *Stiksteken met 1 draadje.

HU
A szöveten 2 szál egy keresztöltés, az osztott hímzö 2 ágával hímezzünk. *Kontúrok 1 rétegben.

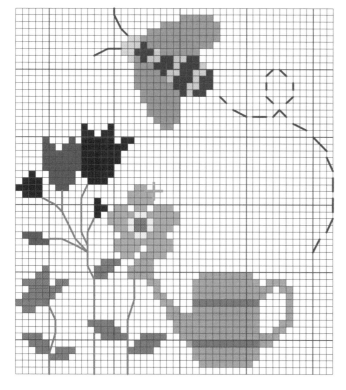

DESIGN 79647
Bild / Picture / Tableau / Cuadro
Quadro / Beeld / Kép

Ø 15,5 CM / Ø 6 IN

NO. 17469.15.97
✂ 23 × 23 CM / 9 × 9 IN
NO. 95218.00.00

D
1-fädig sticken.
GB
Stitch using 1 strand of embroidery
thread.
FR
A broder avec 1 brin.
ES
Bordar con 1 hilo.
IT
Ricamare con 1 filo.
NL
Met 1 draadje splijtgaren borduren.
HU
Az osztott hímző 1 ágával hímezzünk.

DESIGN		79664	79647
	002	1 M	1 M
	235	1 M	1 M
	071	3 M	3 M
	072	3 M	2 M
	073	1 M	1 M
	135	1 M	1 M
	104	1 M	1 M
	210	1 M	1 M
	287	3 M	3 M
	288	3 M	3 M
✳	296	1 M	1 M

DESIGN 79636

Tischband / Table band / Ruban de table / Cinta de mesa
Nastro di tavolo / Tafelband / Hosszú napron

29 × 160 CM / 11 × 63 IN

NO. 16174.50.18

DESIGN 79636

Tischdecke / Tablecloth / Nappe / Mantel / Tovaglia / Dekservet / Asztalterítő

92 × 92 CM / 36 × 36 IN

NO. 16174.50.21

D
2-fädig sticken. *Konturen 1-fädig sticken.

GB
Stitch using 2 strands of embroidery thread. *Use 1 strand for back stitch.

FR
A broder avec 2 brins. *Contours avec 1 brin.

ES
Bordar con 2 hilos. *Contornos con 1 hilo.

IT
Ricamare con 2 fili. *Contorni con 1 filo.

NL
Met 2 draadjes splijtgaren borduren. *Stiksteken met 1 draadje.

HU
Az osztott hímző 2 ágával hímezzünk. *Kontúrok 1 rétegben.

	002	1 M
	071	1 M
	072	1 M
	073	1 M
	134	1 M
	135	1 M
	221	3 M
	287	3 M
	288	2 M
*	296	1 M

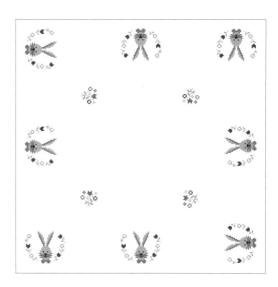

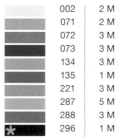

	002	2 M
	071	2 M
	072	3 M
	073	3 M
	134	3 M
	135	1 M
	221	3 M
	287	5 M
	288	3 M
*	296	1 M

Bunny

HÄSCHEN
PETIT LAPIN

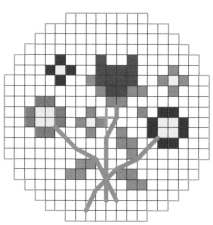

DESIGN 79643

Marmeladenglasdeckchen / Small jam cloths / Dessus de pot de confiture brodé / Cubretapas para botes de mermelada / Centrino per marmellate Jamdekentje / Lekváros kendö

Ø 8 CM / Ø 3 IN
PKG 79643.52.00

DESIGN 79646

Marmeladenglasdeckchen / Small jam cloths / Dessus de pot de confiture brodé / Cubretapas para botes de mermelada / Centrino per marmellate Jamdekentje / Lekváros kendö

Ø 8 CM / Ø 3 IN
PKG 79646.52.00

D
2-fädig sticken.

GB
Stitch using 2 strands of embroidery thread.

FR
A broder avec 2 brins.

ES
Bordar con 2 hilos.

IT
Ricamare con 2 fili.

NL
Met 2 draadjes splijtgaren borduren.

HU
Az osztott hímző 2 ágával hímezzünk.

DESIGN 79643

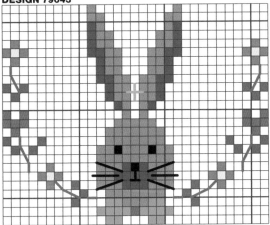

	002	1 M
	071	1 M
	072	1 M
	134	1 M
	210	1 M
	287	1 M
	288	1 M
	296	1 M

DESIGN 79646

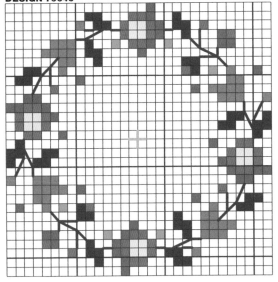

	002	1 M
	071	1 M
	072	1 M
	134	1 M
	210	1 M
	220	1 M

DESIGN 79662

Geschenkband / Gift ribbon / Ruban
cadeau / Cinta para envolver regalos
Nastro regalo / Cadeauband
Ajándékszalag

5 × 105 CM / 2 × 41 IN

NO. 20073.00.03
✂ 5 × 107 CM / 2 × 42 IN

D
2-fädig sticken.

GB
Stitch using 2 strands of embroidery
thread.

FR
A broder avec 2 brins.

ES
Bordar con 2 hilos.

IT
Ricamare con 2 fili.

NL
Met 2 draadjes splijtgaren borduren.

HU
Az osztott hímző 2 ágával hímezzünk.

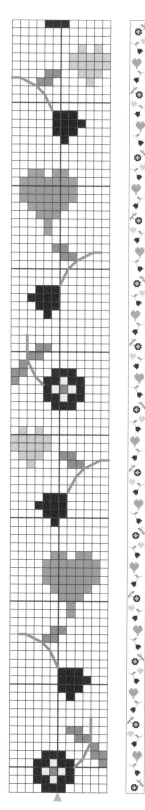

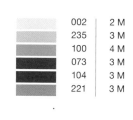

	002	2 M
	235	3 M
	100	4 M
	073	3 M
	104	3 M
	221	3 M

DESIGN 79635

Deckchen / Tablecloth / Napperon
Mantel / Tovaglie / Kleedje / Terítő

40 × 30 CM / 16 × 12 IN
NO. 16176.59.81

D

2-fädig über 2 Gewebefäden sticken.
*Konturen 1-fädig sticken.

GB

Stitch over 2 threads, using 2 strands
of embroidery thread. *Use 1 strand
for back stitch.

FR

A broder sur 2 fils de trame, avec 2
brins de mouliné. *Contours avec 1
brin.

ES

Bordar con 2 hilos sobre 2 hilos de
tela. *Contornos con 1 hilo.

IT

Ricamare con 2 fili su 2 fili del tessuto. *Contorni con 1 filo.

NL

Met 2 draadjes splijtgaren over 2 weefseldraden borduren. *Stiksteken met
1 draadje.

HU

A szöveten 2 szál egy keresztöltés,
az osztott hímzö 2 ágával hímezzünk.
*Kontúrok 1 rétegben.

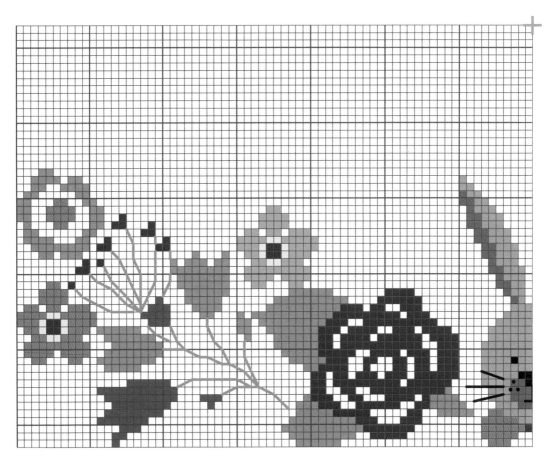

	002	1 M
	071	2 M
	072	3 M
	073	3 M
	134	3 M
	135	2 M
	221	3 M
	287	3 M
	288	1 M
✳	296	1 M

DESIGN 79645
Bild / Picture / Tableau / Cuadro
Quadro / Beeld / Kép

Ø 15,5 CM / Ø 6 IN

NO. 17469.15.97
✂ 23 × 23 CM / 9 × 9 IN
NO. 95218.00.00

D
1-fädig sticken.
GB
Stitch using 1 strand of embroidery
thread.
FR
A broder avec 1 brin.
ES
Bordar con 1 hilo.
IT
Ricamare con 1 filo.
NL
Met 1 draadje splijtgaren borduren.
HU
Az osztott hímző 1 ágával hímezzünk.

	002	1 M
	065	1 M
	071	3 M
	072	1 M
	073	1 M
	134	2 M
	135	3 M
	137	1 M
	210	1 M
	220	3 M
	215	2 M
	287	3 M
	288	2 M
	296	1 M

DESIGN 79641

Tischset / Place mat / Set de table
Set / Set da tavola / Placemat / Szett

50 × 35 CM / 20 × 14 IN

NO. 20075.00.03
✂ 10 × 52 CM / 4 × 20 IN
NO. 18069.15.92
✂ 2(37 × 52 CM) / 2(15 × 20 IN)

D
2-fädig sticken.
GB
Stitch using 2 strands of embroidery
thread.
FR
A broder avec 2 brins.
ES
Bordar con 2 hilos.
IT
Ricamare con 2 fili.
NL
Met 2 draadjes splijtgaren borduren.
HU
Az osztott hímző 2 ágával hímezzünk.

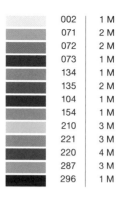

	002	1 M
	071	2 M
	072	2 M
	073	1 M
	134	1 M
	135	2 M
	104	1 M
	154	1 M
	210	3 M
	221	3 M
	220	4 M
	287	3 M
	296	1 M

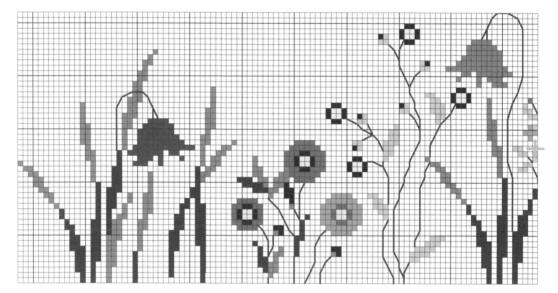

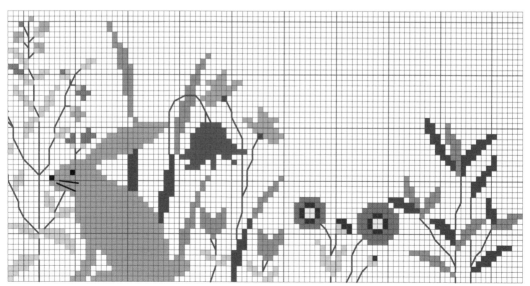

DESIGN 79639

Tischdecke / Tablecloth / Nappe
Mantel / Tovaglia / Dekservet
Asztalterítő

90 × 90 CM / 35 × 35 IN
NO. 16248.50.21

D
2-fädig sticken.

GB
Stitch using 2 strands of embroidery
thread.

FR
A broder avec 2 brins.

ES
Bordar con 2 hilos.

IT
Ricamare con 2 fili.

NL
Met 2 draadjes splijtgaren borduren.

HU
Az osztott hímző 2 ágával hímezzünk.

	002	3 M
	071	3 M
	072	4 M
	073	3 M
	134	3 M
	135	4 M
	104	3 M
	154	2 M
	210	7 M
	221	9 M
	220	16 M
	287	9 M
	296	1 M

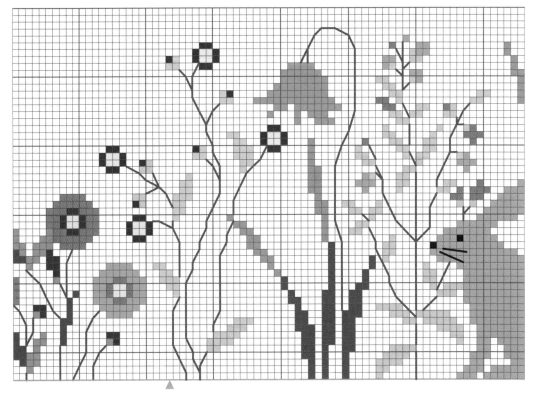

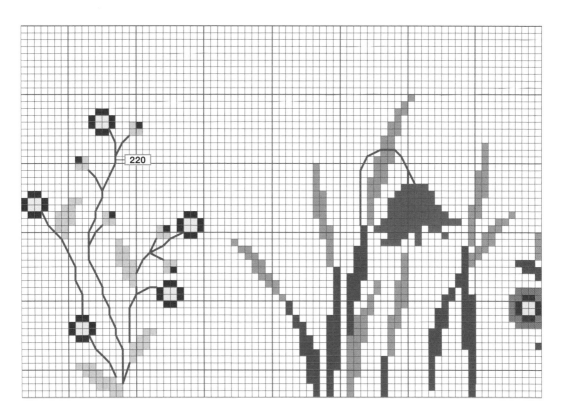

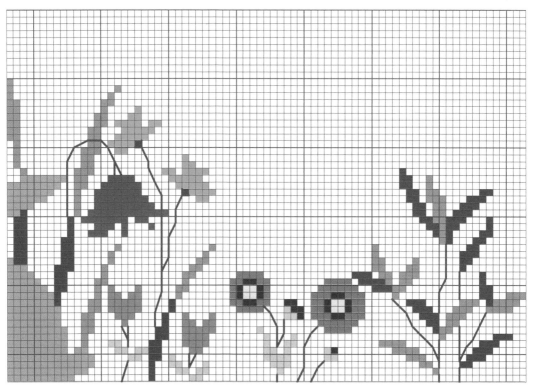

DESIGN 79640

Tischband / Table band
Ruban de table / Cinta de
mesa / Nastro di tavolo
Tafelband / Hosszú napron

29 × 155 CM / 11 × 61 IN

NO. 16248.50.18

D
2-fädig sticken.

GB
Stitch using 2 strands of
embroidery thread.

FR
A broder avec 2 brins.

ES
Bordar con 2 hilos.

IT
Ricamare con 2 fili.

NL
Met 2 draadjes splijtgaren
borduren.

HU
Az osztott hímző 2 ágával
hímezzünk.

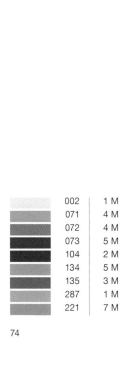

	002	1 M
	071	4 M
	072	4 M
	073	5 M
	104	2 M
	134	5 M
	135	3 M
	287	1 M
	221	7 M

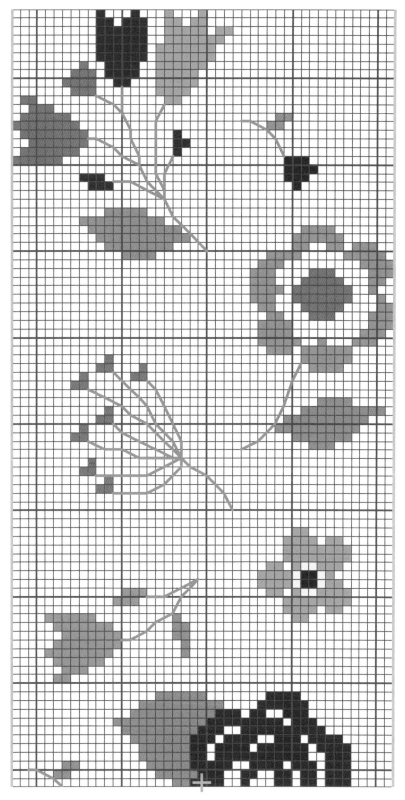

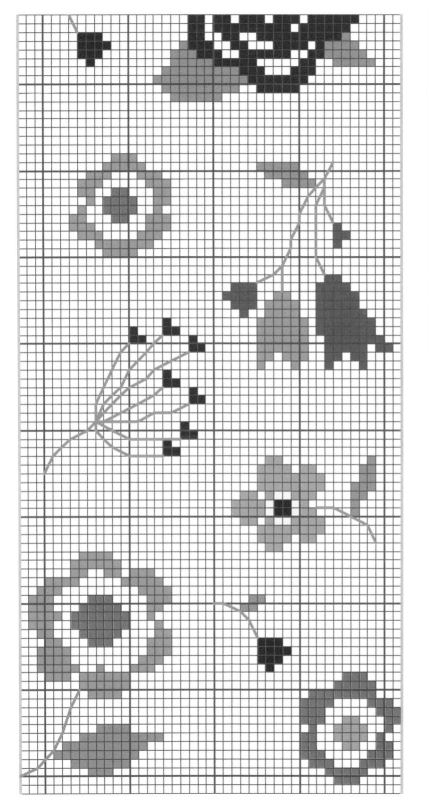

×78

×78

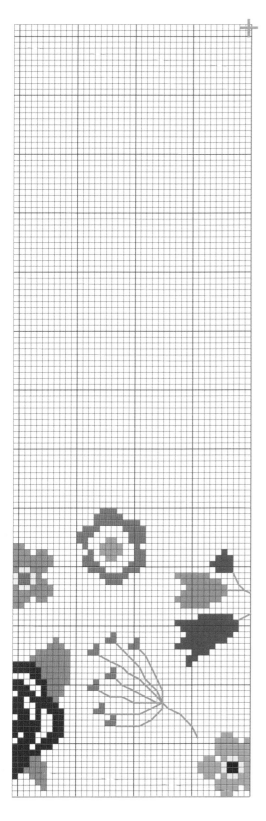

DESIGN 79640
Tischdecke / Tablecloth / Nappe / Mantel Tovaglia / Dekservet / Asztalterítő

90 × 90 CM / 35 × 35 IN / **NO. 16248.50.21**

D
2-fädig sticken.

GB
Stitch using 2 strands of embroidery thread.

FR
A broder avec 2 brins.

ES
Bordar con 2 hilos.

IT
Ricamare con 2 fili.

NL
Met 2 draadjes splijtgaren borduren.

HU
Az osztott hímző 2 ágával hímezzünk.

	002	2 M
	071	5 M
	072	9 M
	073	11 M
	104	2 M
	134	12 M
	135	4 M
	287	2 M
	221	19 M

DESIGN 79638

Tischband / Table band Ruban de table / Cinta de mesa / Nastro di tavolo Tafelband / Hosszú napron

29 × 155 CM / 11 × 61 IN

NO. 16248.50.18

D
2-fädig sticken.

GB
Stitch using 2 strands of embroidery thread.

FR
A broder avec 2 brins.

ES
Bordar con 2 hilos.

IT
Ricamare con 2 fili.

NL
Met 2 draadjes splijtgaren borduren.

HU
Az osztott hímző 2 ágával hímezzünk.

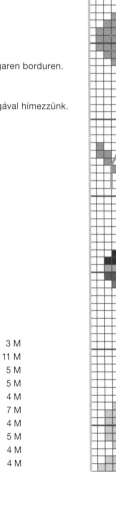

	002	3 M
	235	11 M
	071	5 M
	072	5 M
	073	4 M
	134	7 M
	135	4 M
	221	5 M
	287	4 M
	288	4 M

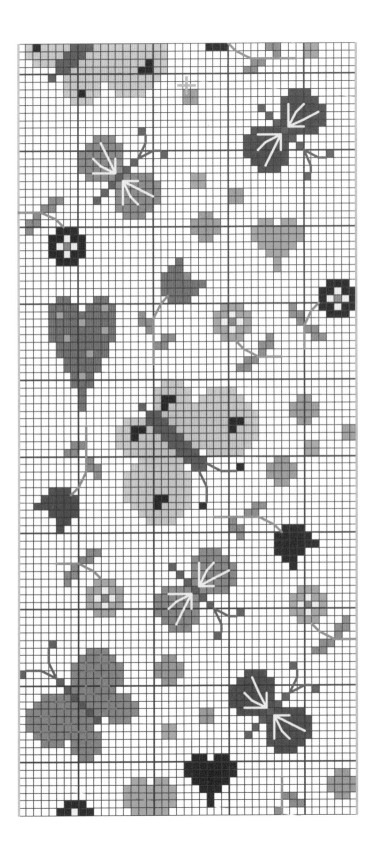
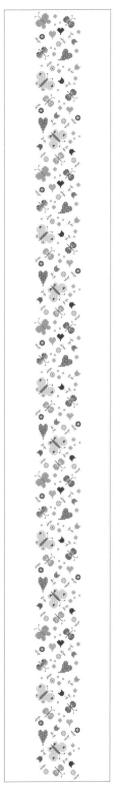

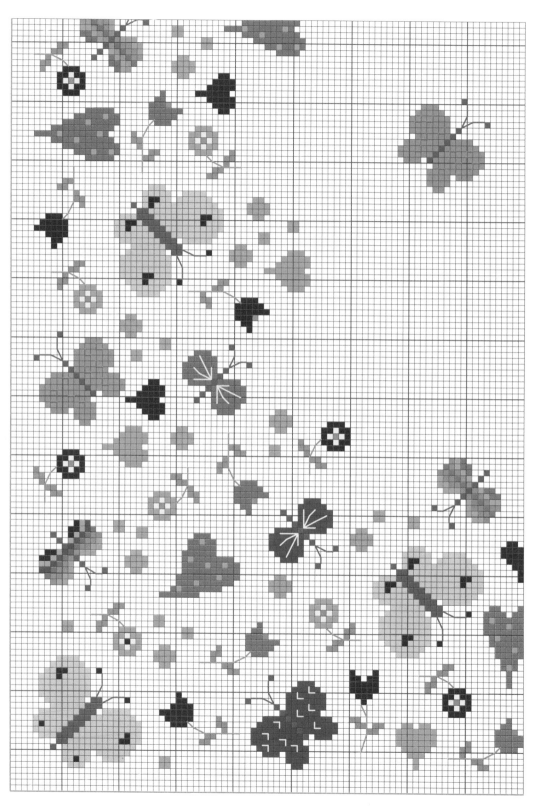

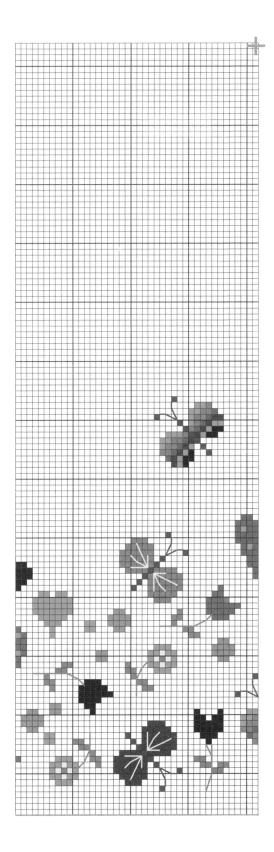

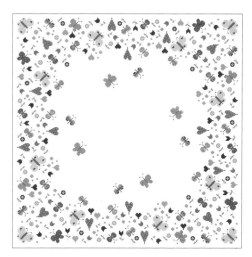

DESIGN 79638
Tischdecke / Tablecloth / Nappe / Mantel / Tovaglia
Dekservet / Asztalterítő

90 × 90 CM / 35 × 35 IN / **NO. 16248.50.21**

D
2-fädig sticken.

GB
Stitch using 2 strands of embroidery thread.

FR
A broder avec 2 brins.

ES
Bordar con 2 hilos.

IT
Ricamare con 2 fili.

NL
Met 2 draadjes splijtgaren borduren.

HU
Az osztott hímző 2 ágával hímezzünk.

	002	3 M
	235	12 M
	071	9 M
	072	11 M
	073	7 M
	134	7 M
	135	5 M
	221	7 M
	287	5 M
	288	5 M

DESIGN 79642

Schleife / Bow / Nœud / Lazo / Fiocco / Strik / Masni

10 × 153 CM / 4 × 60 IN

NO. 17582.10.00
✂ 10 × 155 CM / 4 × 61 IN
NO. 7004.50.64
✂ 2 M / 79 IN

D

2-fädig über 2 Gewebefäden sticken. Stickbeginn: 7 cm und 10 cm von der fertigen Spitze.

GB

Stitch over 2 threads, using 2 strands of embroidery thread. Start embroidery 2,8 in and 4 in from the pointed end.

FR

A broder sur 2 fils de trame, avec 2 brins de mouliné. Commencer la broderie à 7 cm et 10 cm de la pointe finie.

ES

Bordar con 2 hilos sobre 2 hilos de tela. Inicio del borda-do: 7 cm y 10 cm desde el encaje terminado.

IT

Ricamare con 2 fili su 2 fili del tessuto. Inizio del ricamo: a 7 cm e 10 cm dal pizzo finito.

NL

Met 2 draadjes splijtgaren over 2 weefseldraden borduren. Borduurbegin: 7 cm en 10 cm voor het afgewerkte kant.

HU

A szöveten 2 szál egy keresztöltés, az osztott hímzö 2 ágával hímezzünk. Hímzés-kezdés: 7 cm és 10 cm a kész csipkétől.

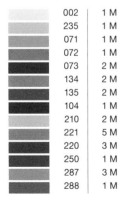

	002	1 M
	235	1 M
	071	1 M
	072	1 M
	073	2 M
	134	2 M
	135	2 M
	104	1 M
	210	2 M
	221	5 M
	220	3 M
	250	1 M
	287	3 M
	288	1 M

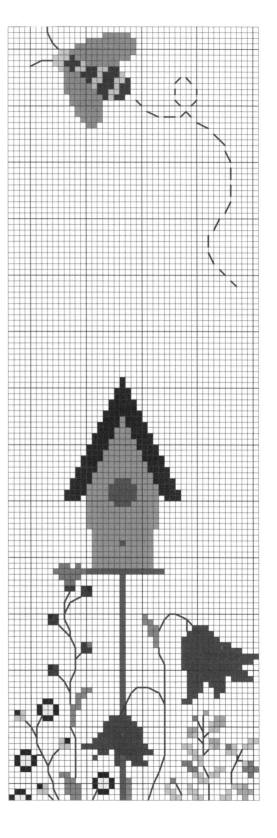

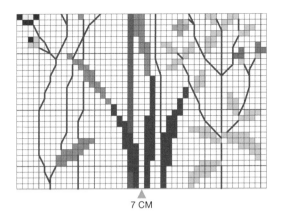

7 CM

7 CM

10 CM

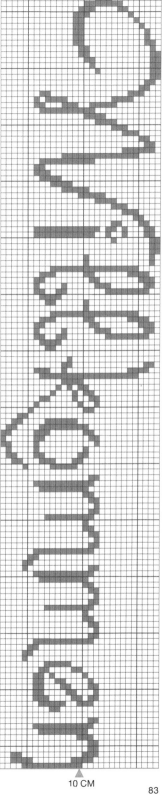

10 CM

DESIGN 79644

Schleife / Bow / Nœud / Lazo / Fiocco / Strik / Masni

10 × 153 CM / 4 × 60 IN

NO. 17582.10.00
✄ 10 × 155 CM / 4 × 61 IN
NO. 7004.50.64
✄ 2 M / 79 IN

D

2-fädig über 2 Gewebefäden sticken. Stickbeginn: 7 cm und 9 cm von der fertigen Spitze.

GB

Stitch over 2 threads, using 2 strands of embroidery thread. Start embroidery 2,8 in and 3,6 in from the pointed end.

FR

A broder sur 2 fils de trame, avec 2 brins de mouliné. Commencer la broderie à 7 cm et 9 cm de la pointe finie.

ES

Bordar con 2 hilos sobre 2 hilos de tela. Inicio del bordado: 7 cm y 9 cm desde el encaje terminado.

IT

Ricamare con 2 fili su 2 fili del tessuto. Inizio del ricamo: a 7 cm e 9 cm dal pizzo finito.

NL

Met 2 draadjes splijtgaren over 2 weefseldraden borduren. Borduurbegin: 7 cm en 9 cm voor het afge-werkte kant.

HU

A szöveten 2 szál egy keresztöltés, az osztott hímzö 2 ágával hímezzünk. Hímzés-kezdés: 7 cm és 9 cm a kész csipkétől.

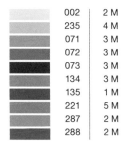

	002	2 M
	235	4 M
	071	3 M
	072	3 M
	073	3 M
	134	3 M
	135	1 M
	221	5 M
	287	2 M
	288	2 M

7 CM

7 CM

9 CM

9 CM

DESIGN 79634

Tischband / Table band
Ruban de table / Cinta de
mesa / Nastro di tavolo
Tafelband / Hosszú napron

29 × 155 CM / 11 × 61 IN

NO. 16248.50.18

D
2-fädig sticken. *Konturen
1-fädig sticken.

GB
Stitch using 2 strands of
embroidery thread. *Use 1
strand for back stitch.

FR
A broder avec 2 brins.
*Contours avec 1 brin.

ES
Bordar con 2 hilos.
*Contornos con 1 hilo.

IT
Ricamare con 2 fili.
*Contorni con 1 filo.

NL
Met 2 draadjes splijtgaren
borduren. *Stiksteken met
1 draadje.

HU
Az osztott hímző 2 ágával
hímezzünk. *Kontúrok 1
rétegben.

	235	11 M
	099	9 M
	100	9 M
	083	7 M
	074	3 M
	101	5 M
	102	9 M
	104	4 M
	134	3 M
	135	3 M
	222	4 M
	221	3 M
	219	4 M
*	296	3 M

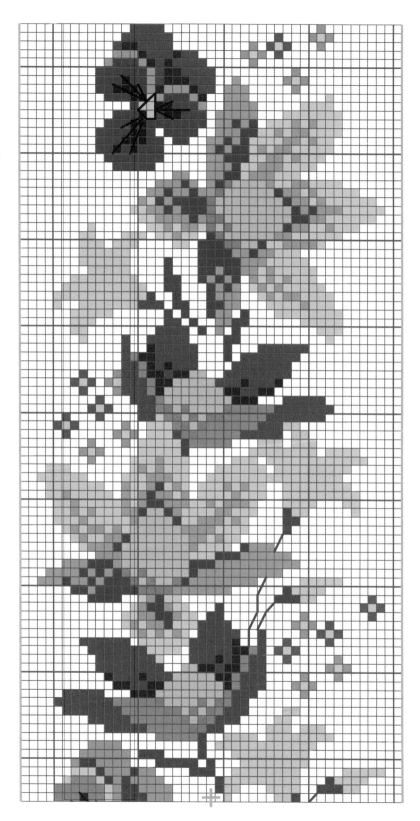

×78

×78

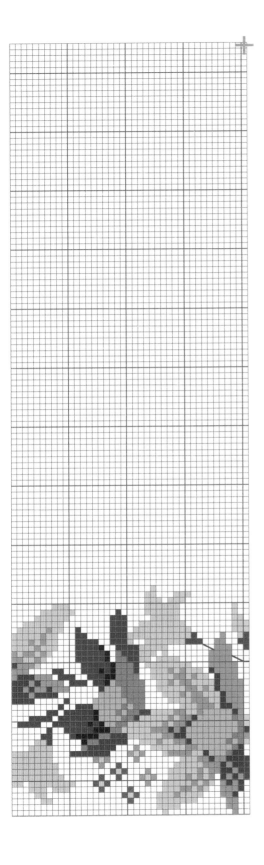

DESIGN 79634

Tischdecke / Tablecloth / Nappe / Mantel / Tovaglia
Dekservet / Asztalterítő

90 × 90 CM / 35 × 35 IN / **NO. 16248.50.21**

D
2-fädig sticken. *Konturen 1-fädig sticken.
GB
Stitch using 2 strands of embroidery thread. *Use 1 strand for back stitch.
FR
A broder avec 2 brins. *Contours avec 1 brin.
ES
Bordar con 2 hilos. *Contornos con 1 hilo.
IT
Ricamare con 2 fili. *Contorni con 1 filo.
NL
Met 2 draadjes splijtgaren borduren. *Stiksteken met 1 draadje.
HU
Az osztott hímző 2 ágával hímezzünk. *Kontúrok 1 rétegben.

Color	Amount
235	15 M
099	12 M
100	14 M
083	8 M
074	3 M
101	8 M
102	12 M
104	4 M
134	3 M
135	3 M
222	5 M
221	3 M
219	5 M
* 296	3 M

DESIGN 79637

Tischband / Table band / Ruban de
table / Cinta de mesa / Nastro di tavolo / Tafelband / Hosszú napron

20 × 155 CM / 8 × 61 IN

NO. 21272.20.00
✂ 20 × 163 CM / 8 × 64 IN

D
2-fädig sticken. *Konturen 1-fädig
sticken.

GB
Stitch using 2 strands of embroidery
thread. *Use 1 strand for back stitch.

FR
A broder avec 2 brins. *Contours
avec 1 brin.

ES
Bordar con 2 hilos. *Contornos con
1 hilo.

IT
Ricamare con 2 fili. *Contorni con
1 filo.

NL
Met 2 draadjes splijtgaren borduren.
*Stiksteken met 1 draadje.

HU
Az osztott hímző 2 ágával hímezzünk.
*Kontúrok 1 rétegben.

	002	3 M
	235	2 M
	065	11 M
	071	5 M
	072	3 M
*	073	5 M
	221	4 M
	285	7 M

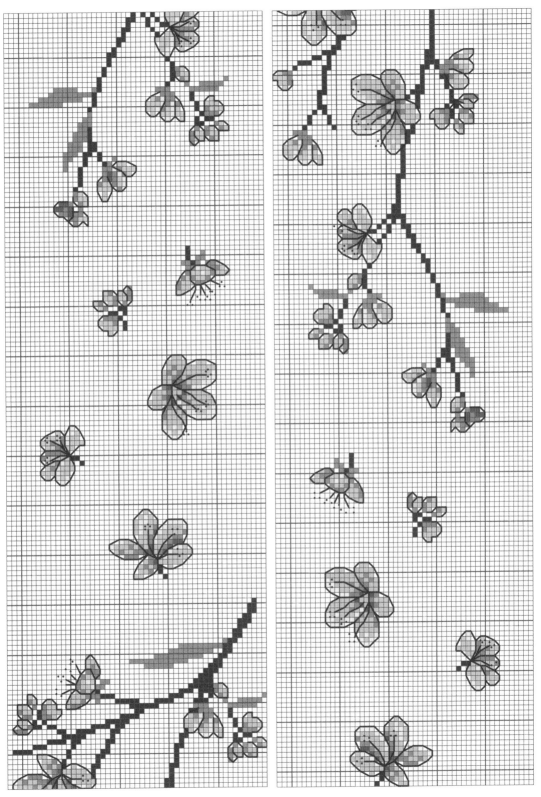

DESIGN 79633

Tischdecke / Tablecloth / Nappe / Mantel / Tovaglia
Dekservet / Asztalterítő

90 × 90 CM / 35 × 35 IN / **NO. 16221.50.21**

D
2-fädig sticken. *Konturen 1-fädig sticken.
GB
Stitch using 2 strands of embroidery thread. *Use 1 strand for back stitch.
FR
A broder avec 2 brins. *Contours avec 1 brin.
ES
Bordar con 2 hilos. *Contornos con 1 hilo.
IT
Ricamare con 2 fili. *Contorni con 1 filo.
NL
Met 2 draadjes splijtgaren borduren. *Stiksteken met 1 draadje.
HU
Az osztott hímző 2 ágával hímezzünk. *Kontúrok 1 rétegben.

	002	4 M
	235	2 M
	065	11 M
	071	5 M
	072	2 M
*	073	5 M
	134	2 M
	154	2 M
	221	4 M
	104	2 M
	287	4 M
	288	4 M
	285	8 M
*	282	2 M

ABCDE
FGHIJK
LMNOP
QRSTU
VWXY
Z

DESIGN 79663

Tasche / Bag / Sac / Bolsa / Borsa
Tas / Táska

40 × 28 × 15 CM / 16 × 11 × 6 IN
NO. 17231.15.94
✂ 50 × 20 CM / 20 × 8 IN
NO. 18072.15.92
✂ 17 × 98 CM / 7 × 39 IN
NO. 18072.15.92
✂ 3X(30 × 42 CM / 12 × 17 IN)
NO. 18069.15.92
✂ 30 × 42 CM / 12 × 17 IN
NO. 18069.15.92
✂ 17 × 98 CM / 7 × 39 IN
NO. 38209.60.02
60 CM / 24 IN

D
Oberstoff, Futter und Fixierung laut Schemazeichnung zuschneiden. Taschengriffe mit ganzem Faden annähen, zwei Fäden Sticktwist nehmen, Schwarz No. 2011.296.

GB
Cut outer fabric, lining and fixing according to schematic drawing. Sew the bag handles on with whole threads, use two strands of stranded cotton, black No. 2011.296

FR
Couper le tissu extérieur, la doublure et la toison de fixation en suivant les schémas. Coudre les anses du sac ave le fil entier, prendre deux brins de mouliné, noir N°. 2011.296.

ES
Recortar el tejido exterior, el forro y la tela no tejida del interior. Coser las asas con todo el hilo, tomar dos hilos Sticktwist, color negro n.º 2011.296.

IT
Ritagliare il tessuto esterno, la fodera e il tessuto non tessuto seguendo lo schema del disegno. Cucire i manici della borsa con un filo intero, usare una spoletta a due fili, colore nero, N° 2011.296.

NL
Bovenstof, voering en fixering volgens de schematekening op maat knippen. Tashengsels met hele draad vastnaaien, twee draden borduurzijde nemen, zwart nr. 2011.296.

HU
A felső anyagot, bélést és rögzítést a mintarajz szerint vágja ki. A táska füleit varrja fel két szál összesodrásával, teljes öltéssel, fekete, No. 2011.296.

D   2-fädig sticken.
GB Stitch using 2 strands of embroidery thread.
FR A broder avec 2 brins.
ES Bordar con 2 hilos.
IT Ricamare con 2 fili.
NL Met 2 draadjes splijtgaren borduren.
HU Az osztott hímző 2 ágával hímezzünk.

073	7 M
221	5 M

95

DESIGN 79663

Tasche / Bag / Sac / Bolsa / Borsa
Tas / Táska

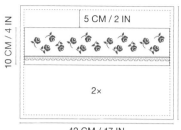

5 CM / 2 IN

10 CM / 4 IN

30 CM / 12 IN

2×

42 CM / 17 IN

17 CM / 7 IN

98 CM / 39 IN

×××

DESIGN 79666

Tischband / Table band / Ruban de table / Cinta de mesa / Nastro di tavolo / Tafelband / Hosszú napron

4 × 155 CM / 2 × 61 IN
NO. 21272.04.00
✂ 4 × 163 CM / 2 × 64 IN

| | 100 | 48 M |

DESIGN 79667

Tischband / Table band / Ruban de table / Cinta de mesa / Nastro di tavolo / Tafelband / Hosszú napron

2 × 155 CM / 0,8 × 61 IN
NO. 21272.02.00
✂ 2 × 163 CM / 0,8 × 64 IN

| | 221 | 27 M |

DESIGN 79668

Tischband / Table band / Ruban de table / Cinta de mesa / Nastro di tavolo / Tafelband / Hosszú napron

10 × 155 CM / 2 × 61 IN
NO. 21272.10.00
✂ 10 × 163 CM / 4 × 64 IN

| | 148 | 108 M |

D
2-fädig sticken. Das Muster kann entsprechend dem Verwendungszweck gekürzt oder erweitert werden.

GB
Stitch using 2 strands of embroidery thread. The pattern can be repeated or shortened to meet length requirements.

FR
A broder avec 2 brins. Le dessin peut être prolongé ou raccourci suivant l'utilisation prévue.

ES
Bordar con 2 hilos. Según para qué vaya a utilizarlo, el patrón puede acortarse o agrandarse.

IT
Ricamare con 2 fili. Il modello può essere ridotto o ampliato a seconda dello scopo d'uso.

NL
Met 2 draadjes splijtgaren borduren. Het motief kan in overeenstemming met het gebruiksdoeleinde worden ingekort of aangevuld.

HU
Az osztott hímző 2 ágával hímezzünk. A mintát a felhasználás céljától függően rövidebbé lehet tenni vagy ki lehet bővíteni.

DESIGN 79666

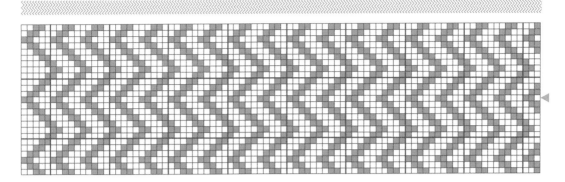

DESIGN 79667

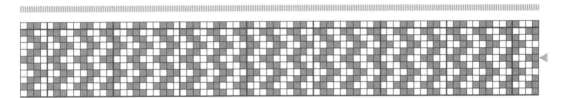

DESIGN 79668

DESIGN 79650

Bild / Picture / Tableau / Cuadro
Quadro / Beeld / Kép

Ø 10,5 CM / Ø 4 IN

NO. 17467.15.97
✂ 20 × 20 CM / 8 × 8 IN
NO. 95232.00.00

D
2-fädig sticken. *Konturen 1-fädig
sticken.

GB
Stitch using 2 strands of embroidery
thread. *Use 1 strand for back stitch.

FR
A broder avec 2 brins. *Contours
avec 1 brin.

ES
Bordar con 2 hilos. *Contornos con
1 hilo.

IT
Ricamare con 2 fili. *Contorni con
1 filo.

NL
Met 2 draadjes splijtgaren borduren.
*Stiksteken met 1 draadje.

HU
Az osztott hímző 2 ágával hímezzünk.
*Kontúrok 1 rétegben.

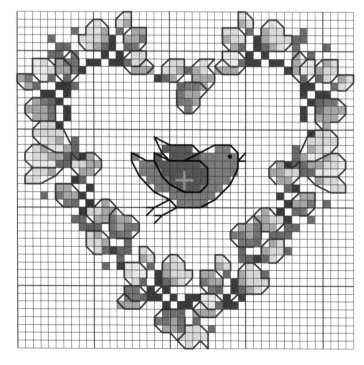

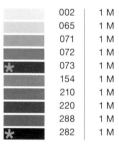

	002	1 M
	065	1 M
	071	1 M
	072	1 M
✳	073	1 M
	154	1 M
	210	1 M
	220	1 M
	288	1 M
✳	282	1 M

DESIGN 79649
Bild / Picture / Tableau / Cuadro
Quadro / Beeld / Kép

Ø 10,5 CM / Ø 4 IN

NO. 17231.15.97
✂ 20 × 20 CM / 8 × 8 IN
NO. 95232.00.00

D
2-fädig sticken.

GB
Stitch using 2 strands of embroidery
thread.

FR
A broder avec 2 brins.

ES
Bordar con 2 hilos.

IT
Ricamare con 2 fili.

NL
Met 2 draadjes splijtgaren borduren.

HU
Az osztott hímző 2 ágával hímezzünk.

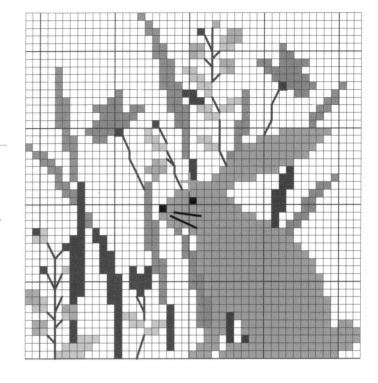

	071	1 M		221	2 M
	073	1 M		220	2 M
	154	1 M		287	3 M
	210	1 M		296	1 M

xxxxxxxxxxxxxxxxxxxxxxxxxxxxxxxxxxxxxxxxxxxxxxxxxxxxxxxxxxxxxxxxxxxxxxxxxxxxxxxxxxxxxxxxxxxxxxxxx

DESIGN 79671
Anhänger aus Holz / Wooden pendant
Pendentif en bois / Colgante deco-
rativo de madera / Decarozaione in
legno da appendere / Houten hanger
Felakasztható dísz fából

6 × 8 CM / 2 × 3 IN
NO. 03532.00.00

D
3-fädig sticken.

GB
Stitch using 3 strands of embroidery
thread.

FR
A broder avec 3 brins.

ES
Bordar con 3 hilos.

IT
Ricamare con 3 fili.

NL
Met 3 draadjes splijtgaren borduren.

HU
Az osztott hímző 3 ágával hímezzünk.

	104	3 M
	221	9 M

DESIGN 79656

Anhänger aus Holz / Wooden pendant
Pendentif en bois / Colgante decorativo de madera / Decarozaione in
legno da appendere / Houten hanger
Felakaszható dísz fából

6 × 8 CM / 2 × 3 IN
NO. 03532.00.00

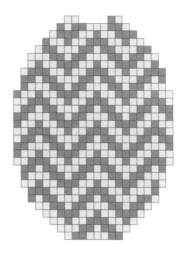

D
3-fädig sticken.

GB
Stitch using 3 strands of embroidery thread.

FR
A broder avec 3 brins.

ES
Bordar con 3 hilos.

IT
Ricamare con 3 fili.

NL
Met 3 draadjes splijtgaren borduren.

HU
Az osztott hímző 3 ágával hímezzünk.

	002	4 M
	221	4 M

xxxxxxxxxxxxxxxxxxxxxxxxxxxxxxxxxxxxxxxxxxxxxxxxxxxxxxxxxxxxxxxxxxxxxxxxxxxxxxxxxxxxxxxxxxxxxxxxxxxxxxxxxx

DESIGN 79657

Anhänger aus Holz / Wooden pendant
Pendentif en bois / Colgante decorativo de madera / Decarozaione in
legno da appendere / Houten hanger
Felakaszható dísz fából

6 × 8 CM / 2 × 3 IN
NO. 03532.00.00

D
3-fädig sticken.

GB
Stitch using 3 strands of embroidery thread.

FR
A broder avec 3 brins.

ES
Bordar con 3 hilos.

IT
Ricamare con 3 fili.

NL
Met 3 draadjes splijtgaren borduren.

HU
Az osztott hímző 3 ágával hímezzünk.

	002	4 M
	148	4 M

DESIGN 79658

Anhänger aus Holz / Wooden pendant
Pendentif en bois / Colgante decorativo de madera / Decarozaione in
legno da appendere / Houten hanger
Felakasztható dísz fából

6 × 8 CM / 2 × 3 IN
NO. 03532.00.00

| | 002 | 4 M |
| | 104 | 4 M |

D
3-fädig sticken.

GB
Stitch using 3 strands of embroidery
thread.

FR
A broder avec 3 brins.

ES
Bordar con 3 hilos.

IT
Ricamare con 3 fili.

NL
Met 3 draadjes splijtgaren borduren.

HU
Az osztott hímző 3 ágával hímezzünk.

xxxxxxxxxxxxxxxxxxxxxxxxxxxxxxxxxxxxxxxxxxxxxxxxxxxxxxxxxxxxxxxxxxxxxxxxxxxxxxxxxxxxxxxxxxxxxxxx

DESIGN 79659

Anhänger aus Holz / Wooden pendant
Pendentif en bois / Colgante decorativo de madera / Decarozaione in
legno da appendere / Houten hanger
Felakasztható dísz fából

6 × 8 CM / 2 × 3 IN
NO. 03532.00.00

| | 002 | 4 M |
| | 100 | 4 M |

D
3-fädig sticken.

GB
Stitch using 3 strands of embroidery
thread.

FR
A broder avec 3 brins.

ES
Bordar con 3 hilos.

IT
Ricamare con 3 fili.

NL
Met 3 draadjes splijtgaren borduren.

HU
Az osztott hímző 3 ágával hímezzünk.

DESIGN 79660

Anhänger aus Holz / Wooden pendant
Pendentif en bois / Colgante decorativo de madera / Decarozaione in
legno da appendere / Houten hanger
Felakasztható dísz fából

6 × 8 CM / 2 × 3 IN
NO. 03532.00.00

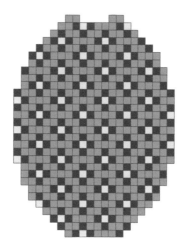

D
3-fädig sticken.

GB
Stitch using 3 strands of embroidery
thread.

FR
A broder avec 3 brins.

ES
Bordar con 3 hilos.

IT
Ricamare con 3 fili.

NL
Met 3 draadjes splijtgaren borduren.

HU
Az osztott hímző 3 ágával hímezzünk.

	002	2 M
	100	5 M
	073	4 M

DESIGN 79661

Anhänger aus Holz / Wooden pendant
Pendentif en bois / Colgante decorativo de madera / Decarozaione in
legno da appendere / Houten hanger
Felakasztható dísz fából

6 × 8 CM / 2 × 3 IN
NO. 03532.00.00

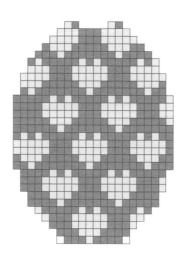

D
3-fädig sticken.

GB
Stitch using 3 strands of embroidery
thread.

FR
A broder avec 3 brins.

ES
Bordar con 3 hilos.

IT
Ricamare con 3 fili.

NL
Met 3 draadjes splijtgaren borduren.

HU
Az osztott hímző 3 ágával hímezzünk.

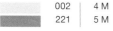

	002	4 M
	221	5 M

DESIGN 79654

Kissen / Cushion / Coussin / Almohada / Cuscino / Kussen / Párna

25 × 25 CM / 10 × 10 IN
NO. 17804.15.96
✂ 27 × 30 CM / 11 × 12 IN
NO. 18065.15.92
✂ 27 × 30 CM / 11 × 12 IN

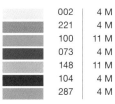

	002	4 M
	221	4 M
	100	11 M
	073	4 M
	148	11 M
	104	4 M
	287	4 M

D
2-fädig über 2 Gewebefäden sticken.

GB
Stitch over 2 threads, using 2 strands of embroidery thread.

FR
A broder sur 2 × 2 fils de trame, avec 2 brins de mouliné.

ES
Bordar con 2 hilos sobre 2 hilos de tela.

IT
Ricamare con 2 fili su 2 fili del tessuto.

NL
Met 2 draadjes splijtgaren over 2 weefseldraden borduren.

HU
A szöveten 2 szál egy keresztöltés, az osztott hímzö 2 ágával hímezzünk.

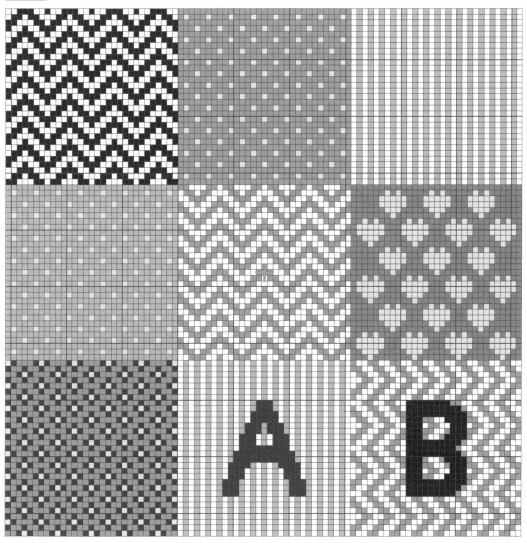

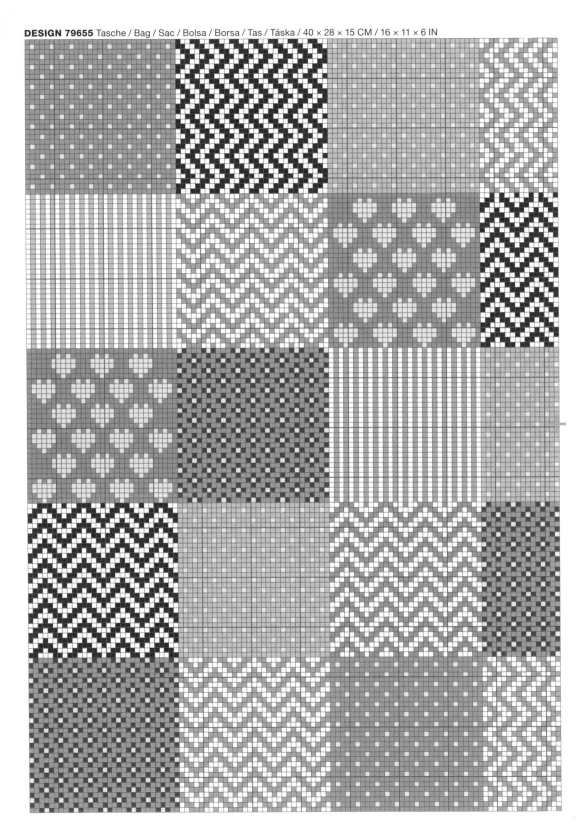

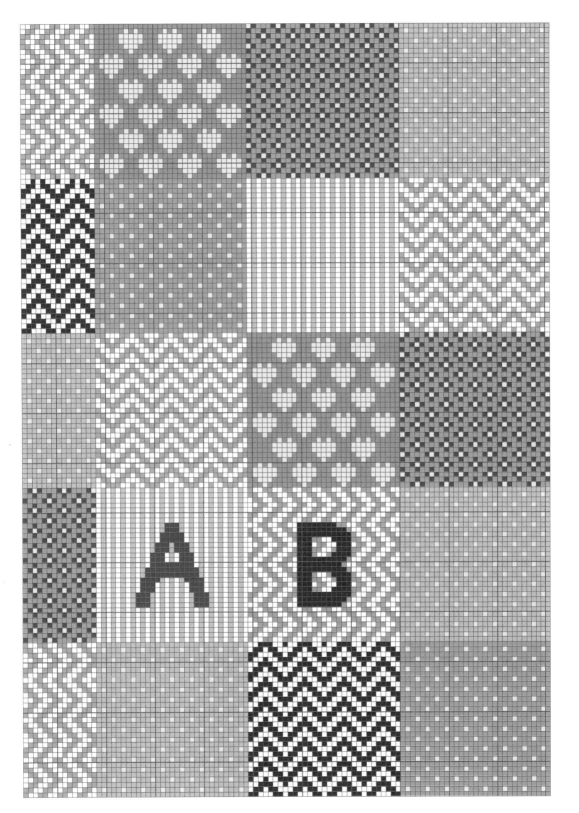

DESIGN 79655

Tasche / Bag / Sac / Bolsa / Borsa
Tas / Táska

40 × 28 × 15 CM / 16 × 11 × 6 IN
NO. 17231.15.94
✂ 60 × 40 CM / 24 × 16 IN
NO. 18065.15.92
✂ 30 × 42 CM / 12 × 17 IN
NO. 18065.15.92
✂ 17 × 98 CM / 7 × 39 IN
NO. 18064.15.92
✂ 2X(30 × 42 CM / 12 × 17 IN)
NO. 18064.15.92
✂ 17 × 98 CM / 7 × 39 IN
NO. 38209.60.02
60 CM / 24 IN

D
Oberstoff, Futter und Fixierung laut Schemazeichnung zuschneiden. Taschengriffe mit ganzem Faden annähen, zwei Fäden Sticktwist nehmen, Schwarz No. 2011.296.
GB
Cut outer fabric, lining and fixing according to schematic drawing. Sew the bag handles on with whole threads, use two strands of stranded cotton, black No. 2011.296.
FR
Couper le tissu extérieur, la doublure et la toison de fixation en suivant les schémas. Coudre les anses du sac ave le fil entier, prendre deux brins de mouliné, noir N°. 2011.296.
ES
Recortar el tejido exterior, el forro y la tela no tejida del interior. Coser las asas con todo el hilo, tomar dos hilos Sticktwist, color negro n.º 2011.296.
IT
Ritagliare il tessuto esterno, la fodera e il tessuto non tessuto seguendo lo schema del disegno. Cucire i manici della borsa con un filo intero, usare una spoletta a due fili, colore nero, N° 2011.296.

NL
Bovenstof, voering en fixering volgens de schematekening op maat knippen. Tashengsels met hele draad vastnaaien, twee draden borduurzijde nemen, zwart nr. 2011.296.
HU
A felső anyagot, bélést és rögzítést a mintarajz szerint vágja ki. A táska füleit varrja fel két szál összesodrásával, teljes öltéssel, fekete, No. 2011.296.

D
2-fädig sticken.
GB
Stitch using 2 strands of embroidery thread.
FR
A broder avec 2 brins.
ES
Bordar con 2 hilos.
IT
Ricamare con 2 fili.
NL
Met 2 draadjes splijtgaren borduren.
HU
Az osztott hímző 2 ágával hímezzünk.

2×

30 CM / 12 IN

42 CM / 17 IN

17 CM / 7 IN

98 CM / 39 IN

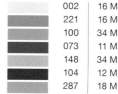

	002	16 M
	221	16 M
	100	34 M
	073	11 M
	148	34 M
	104	12 M
	287	18 M

NO. 2011

001	038	075	112	149	186	223	260
002	039	076	113	150	187	224	261
003	040	077	114	151	188	225	262
004	041	078	115	152	189	226	263
005	042	079	116	153	190	227	264
006	043	080	117	154	191	228	265
007	044	081	118	155	192	229	266
008	045	082	119	156	193	230	267
009	046	083	120	157	194	231	268
010	047	084	121	158	195	232	269
011	048	085	122	159	196	233	270
012	049	086	123	160	197	234	271
013	050	087	124	161	198	235	272
014	051	088	125	162	199	236	273
015	052	089	126	163	200	237	274
016	053	090	127	164	201	238	275
017	054	091	128	165	202	239	276
018	055	092	129	166	203	240	277
019	056	093	130	167	204	241	278
020	057	094	131	168	205	242	279
021	058	095	132	169	206	243	280
022	059	096	133	170	207	244	281
023	060	097	134	171	208	245	282
024	061	098	135	172	209	246	283
025	062	099	136	173	210	247	284
026	063	100	137	174	211	248	285
027	064	101	138	175	212	249	286
028	065	102	139	176	213	250	287
029	066	103	140	177	214	251	288
030	067	104	141	178	215	252	289
031	068	105	142	179	216	253	290
032	069	106	143	180	217	254	291
033	070	107	144	181	218	255	292
034	071	108	145	182	219	256	293
035	072	109	146	183	220	257	294
036	073	110	147	184	221	258	295
037	074	111	148	185	222	259	296

NO. 2011.001 - 296

2 g / 8 m / 9 yd

100% Baumwolle / Cotton / Coton Algodón / Cotone / Katoen / Pamut

210 dtex x 2 x 6

CONFIDENCE IN TEXTILES

Tested for harmful substances
according to Oeko-Tex® Standard 100
95.0.4919   Hohenstein

METALLIC

NO. 2011
NO. 20

921
922

55% metallisiertes Polyester/Metallised polyester/Polyester métallic/Poliéster metalizado/Poliestere metallizzato/Gemetalliseerd polyester/Fémmel bevont poliészter	45% Polyamid/Polyamide/Poliamida/Poliammide/Poliamid

NO. 2011
NO. 40

941
942
943

70% Polyamid/Polyamide/Poliamida/Poliammide/Poliamid	30% metallisiertes Polyester/Metallised polyester/Polyester métallic/Poliéster metalizado/Poliestere metallizzato/Gemetalliseerd polyester/Fémmel bevont poliészter.

NO. 2011
NO. 04

944
945
946

60% Viskose/Viscose Viscosa/Viszkóz.	40% Polyamid/Polyamide/Poliamida/Poliammide/Poliamid

NEON

NO. 2011

948
949
950
951

100% Polyester Poliéster/Poliestere Poliészter.

D

Bitte beachten Sie, daß die abgebildeten Farben lediglich Richtwerte sind. Geringe Farbabweichungen im Druck können technisch bedingt nicht immer ausgeschlossen werden. Aus drucktechnischen Gründen ist eine 100%ige Reproduktion der Originalfarben nicht möglich. Alle Firmen- und Produktnamen sind Warenzeichen der entsprechenden Firmen und dienen lediglich der Zuordnung der Kompatibilitäten.

GB

Please note: This printed color card is a guide only, and accuracy of thread color is as close as printing and photography allows. For printing reasons a 100% reproduction of the original colours is not possible. All brands and product names are the trademarks of the company and serve the purpose of classification and compatibility.

FR

Veuillez noter que les couleurs illustrées ne sont que des élements d'évaluation. Pour des raisons techniques, il n'est pas toujours possible, lors de l'impression des couleurs, d'exclure de légères différences de nuances. Pour des raisons d'impression technique il n'est pas possible de réproduire les couleurs originales à 100%. Tous les noms d'entreprises et de produit sont des marques déposées des entreprises correspondantes et servent uniquement à l'attribution des compatibilités.

ES

Tenga en cuenta que los colores mostrados sólo son indicativos. Pequeñas variaciones de color en la impresión no siempre se pueden prevenir por razones técnicas. Por razones técnicas de impresión no es posible una reproducción al 100% de los colores originales. Todos los nombres de compañías y productos son marcas comerciales de sus respectivas compañías y sólo sirven para la asignación de compatibilidades.

IT

Attenzione, i colori rappresentati sono puramente indicativi. Piccole differenze di colore sono possibili e sono dovute a motivi tecnici legati alla stampa. Per motivi tecnici legati alla stampa non è possibile una riproduzione dei colori che rispetti al 100% l'originale. Tutti i nomi delle aziende e dei prodotti sono marchi registrati delle rispettive aziende e servono esclusivamente ad individuare le compatibilità.

NL

Denk er alstublieft aan, dat de afgebeelde kleuren slechts richtwaarden zijn. Geringe kleurafwijkingen in de druk kunnen op basis van de techniek helaas niet altijd worden uitgesloten. Vanwege druktechnische redenen is een reproductie van de originele kleuren niet voor de volle 100% mogelijk. Alle bedrijfs- en productnamen zijn handelsmerken van de desbetreffende firma's en zijn uitsluitend bedoeld voor het classificeren van de compatibiliteiten.

HU

Kérjük, vegye figyelembe, hogy az itt bemutatott színek csak irányadóak. A nyomtatásban megjelent csekély mértékű színeltérések technikai okok miatt nem mindig zárhatóak ki. Nyomdatechnikai okok miatt az eredeti színek 100 százalékos reprodukciója nem lehetséges. Az összes cég- és terméknév a megfelelő cég védjegye és csakis a kompatibilitások hozzárendeléséhez szolgál.

Materialangabe

Tischdecke | **Tischband** | 5 Stiche per 1 cm
Tablecloth | **Table band** | 14 count
Nappe | **Ruban de table** | 5 points 1 cm
Mantel | **Cinta de mesa** | 5 puntos 1 cm
Coperta | **Nastro di tavolo** | 5 punti 1 cm
Deken | **Tafelband** | 5 steken 1 cm
Takaró | **Hosszú napron** | 5 öltés 1 cm
90 × 90 CM / 35 × 35 IN | 29 × 155 CM / 11 × 61 IN
NO. 16248.50.21 | NO. 16248.50.18

Tischdecke | 5 Stiche per 1 cm
Tablecloth | 14 count
Nappe | 5 points 1 cm
Mantel | 5 puntos 1 cm
Coperta | 5 punti 1 cm
Deken | 5 steken 1 cm
Takaró | 5 öltés 1 cm
90 × 90 CM / 35 × 35 IN
NO. 16221.50.21

50% Baumwolle/Cotton/Coton/Algodón/Cotone/Katoen/Pamut
50% Polyester/Poliéster/Poliestere/Poliészter

Tischdecke | **Tischband** | 5 Stiche per 1 cm
Tablecloth | **Table band** | 14 count
Nappe | **Ruban de table** | 5 points 1 cm
Mantel | **Cinta de mesa** | 5 puntos 1 cm
Coperta | **Nastro di tavolo** | 5 punti 1 cm
Deken | **Tafelband** | 5 steken 1 cm
Takaró | **Hosszú napron** | 5 öltés 1 cm
92 × 92 CM / 36 × 36 IN | 29 × 155 CM / 11 × 61 IN
NO. 16174.50.21 | NO. 16174.50.18

51% Baumwolle/Cotton/Coton/Algodón/Cotone/Katoen/Pamut
49% Modal/Modale

Deckchen mit Spitze 10 fädig
Cloth with lace 25 count
Napperon en dentelle 10 fils
Mantel con encaje 10 hilos
Tovaglie con pizzo 10 fili
Kleedje met kant 10 draadjes
Csipkés terítő 10 hímző

Ø 30 CM/Ø 12 IN | 40 × 30 CM / 16 × 12 IN | 50 × 35 CM / 20 × 14 IN
NO. 16176.59.41 | NO. 16176.59.81 | NO. 16176.59.85

100% Leinen/Linen/Lin/Lino/Lino/Linnen/Len

NO. 79643.52.00

NO. 79646.52.00

MATERIALS / LISTE DES MATÉRIAUX / INDICACIONES RELATIVAS A LOS MATERIALESI / MATERIALI MATERIAALIJST / SZÜKSÉGES ANYAGOK

Zählstoff Aida 6,4 St. per 1 cm — Ballenbreite — Ballenlänge
Even-weave fabric aida 16 ct. — Bale width — Bale length
Toile à broder aida 6,4 pt. 1 cm — Largeur de la balle — Longueur de la balle
Panamá aida 6,4 puntos 1 cm — Ancho del rollo — Largo del rollo
Tessuto aida 6,4 pt 1 cm — Larghezza delle balle — Lunghezza delle balle
Telstof aida 6,4 steken 1 cm — Breedte van de bal — Lengte van de bal
Hímzővászon aida 6,4 öltés 1 cm — Bálaszélesség — Bálahossz
NO. 17467.15.97 — **160 CM / 63 IN** — **5 M / 5,5 YD**

Zählstoff Aida 7,2 St. per 1 cm — Ballenbreite — Ballenlänge
Even-weave fabric aida 18 ct. — Bale width — Bale length
Toile à broder aida 7,2 pt. 1 cm — Largeur de la balle — Longueur de la balle
Panamá aida 7,2 puntos 1 cm — Ancho del rollo — Largo del rollo
Tessuto aida 7,2 pt 1 cm — Larghezza delle balle — Lunghezza delle balle
Telstof aida 7,2 steken 1 cm — Breedte van de bal — Lengte van de bal
Hímzővászon aida 7,2 öltés 1 cm — Bálaszélesség — Bálahossz
NO. 17469.15.97 — **160 CM / 63 IN** — **5 M / 5,5 YD**

100% Baumwolle / Cotton / Coton / Algodón / Cotone / Katoen / Pamut

Zählstoff Aida 5,4 St. per 1 cm — Ballenbreite — Ballenlänge
Even-weave fabric aida 18 ct. — Bale width — Bale length
Toile à broder aida 5,4 pt. 1 cm — Largeur de la balle — Longueur de la balle
Panamá aida 5,4 puntos 1 cm — Ancho del rollo — Largo del rollo
Tessuto aida 5,4 pt 1 cm — Larghezza delle balle — Lunghezza delle balle
Telstof aida 5,4 steken 1 cm — Breedte van de bal — Lengte van de bal
Hímzővászon aida 5,4 öltés 1 cm — Bálaszélesség — Bálahossz
NO. 17231.15.97 — **160 CM / 63 IN** — **5 M / 5,5 YD**
NO. 17231.15.94 — **80 CM / 32 IN** — **5 M / 5,5 YD**

100% Baumwolle / Cotton / Coton / Algodón / Cotone / Katoen / Pamut

Zählstoff 11 fädig — Ballenbreite — Ballenlänge
Even-weave fabric 28 count — Bale width — Bale length
Toile à broder 11 fils — Largeur de la balle — Longueur de la balle
Panamá 11 hilos — Ancho del rollo — Largo del rollo
Tessuto 11 fili — Larghezza delle balle — Lunghezza delle balle
Telstof 11 draadjes — Breedte van de bal — Lengte van de bal
Hímzővászon 11 hímző — Bálaszélesség — Bálahossz
NO. 17804.15.96 — **140 CM / 55 IN** — **5 M / 5,5 YD**

Leinenband 11-fädig
Linen band 28 count
Bande en lin 11 fils
Cinta de lino 11 hilos
Rilegatura in tela 11 fili
Linnen band 11 draadjes
Vászon szalag 11 hímző
10 CM × 5 M / 4 IN × 5,5 YD
NO. 17582.10.00

100% Leinen / Linen / Lin / Lino / Linnen / Len

Aidaband 6 Stiche per 1 cm
Aida band 15 count
Bande aida 6 points 1 cm
Cinta aida 6 puntos 1 cm
Nastro Aida 6 punti 1 cm
Aidaband 6 steken 1 cm
Aidaszalag 6 öltés 1 cm

2 CM × 25 M / 1 IN × 27 YD
NO. 21272.02.00
4 CM × 10 M / 1,6 IN × 11 YD
NO. 21272.04.00
10 CM × 5 M / 4 IN × 5,4 YD
NO. 21272.10.00
20 CM × 5 M / 8 IN × 5,4 YD
NO. 21272.20.00

5 CM × 25 M / 2 IN × 27,2 YD
NO. 20073.00.03
10 CM × 25 M / 4 IN × 27,2 YD
NO. 20075.00.03

〰30° ⊠ ⊠ ⊡ Ⓟ   100% Baumwolle / Cotton / Coton / Algodón / Cotone / Katoen / Pamut

NO. 18062.15.92

NO. 18063.15.92

NO. 18064.15.92

NO. 18065.15.92

NO. 18066.15.92

NO. 18067.15.92

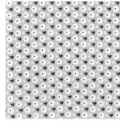

NO. 18068.15.92

NO. 18069.15.92

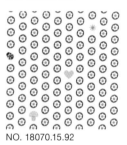

NO. 18070.15.92

NO. 18071.15.92

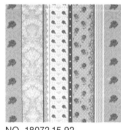

NO. 18072.15.92

Druckstoff
Fabric printed
Tissu imprimé
Tela estampada
Stoffa stampata
Drukstof
Nyomott anyag
160 CM × 5 M
63 IN × 5,5 YD

〰30° ⊠ ⊠ ⊡ Ⓟ   100% Baumwolle / Cotton / Coton / Algodón / Cotone / Katoen / Pamut

25 × 25 CM / 10 × 10 IN
NO. 90013.25.25

6 × 8 CM / 2 × 3 IN
NO. 03532.00.00

Ø 10,5 CM / Ø 4 IN
NO. 95232.00.00
Ø 15,5 CM / Ø 6 IN
NO. 95218.00.00

60 CM / 24 IN
NO. 38209.60.02

3 MM × 2 M / 0,12 IN × 2,2 YD
NO. 7004.50.64